BORIS VIAN

IMAGES DE
LIONEL JANIC

Un poisson d'avril

RUE DU MONDE

Un poisson d'avril
est venu me raconter

qu'on lui avait pris
sa jolie corde à sauter

C'était
un cheval

VOYAGES
ORGANISES
1.000 NF

qui l'emportait
sur son cœur

le long du canal
où valsaient
les remorqueurs

Allegretto.

Et alors
un serpent

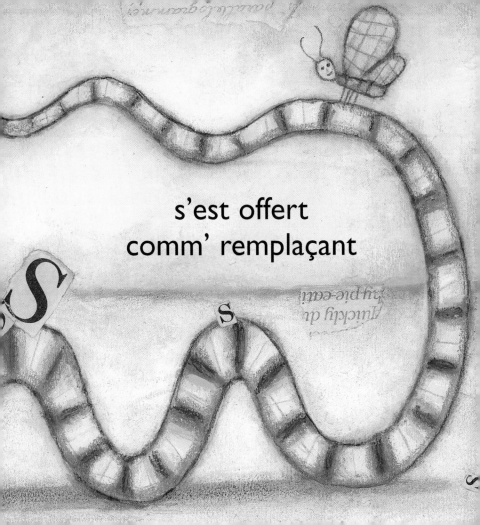

s'est offert
comm' remplaçant

Le poisson
très content
est parti
à travers champs

Il sauta si haut

qu'il s'est envolé
dans l'air

Il sauta si haut
qu'il est retombé...

Le poisson
de mer
fait durer
la jeunesse.

dans

l'eau.

Achevé d'imprimer en février 2004 sur les presses de CCIF
à Saint-Germain-du-Puy (18) - France
Dépôt légal : mars 2001